Jean-Claude Landier Michelle Varier

7 clés pour lire et pour écrire CE1

CORRIGÉS DES EXERCICES
(fascicule destiné à l'enseignant)

HATIER

7 clés pour lire et pour écrire CE1

ISBN 2.218.**05076**.5.

1 SEPTEMBRE OCTOBRE

p. 10 Colchiques
p. 11 Y'a une pie
p. 11 Allons en vendanges

– Colchiques

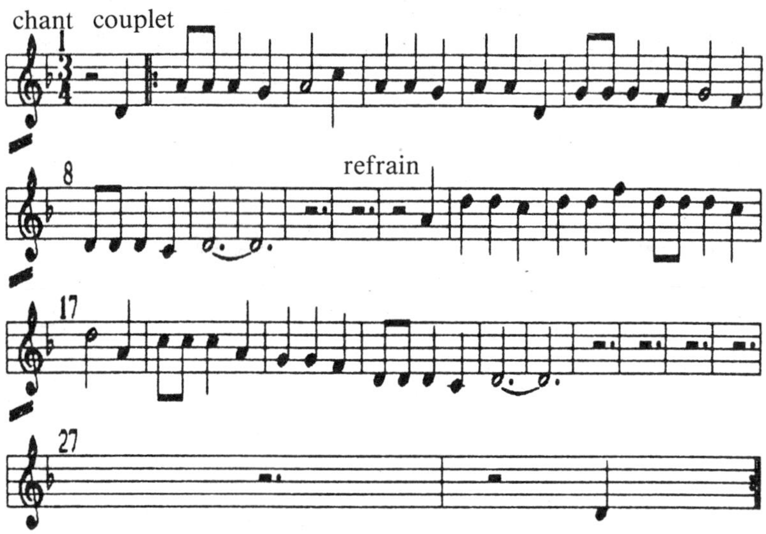

– Y'a une pie

– Allons en vendanges

p. 12 - *Aïe et ouille*

p. 13 - Comprendre

1. L'homme riche est très avare.
2. S'ils veulent être payés, les serviteurs doivent rapporter du marché de l'aïe et de l'ouille.
3. Le nouveau serviteur, plus intelligent, a compris que l'aïe et l'ouille n'existaient pas ; il décide de prendre l'homme riche à son propre piège.
4. Cent réals.
5. Deux réponses sont possibles : le jeune homme fait croire qu'il va vraiment au marché pour acheter de l'aïe et de l'ouille et que leur prix a augmenté ; d'autre part, il est sûr ainsi d'avoir déjà obtenu un peu d'argent de son maître.

p. 14 - Comprendre

1. Dans une jarre, il met un grand mille-pattes, dans l'autre, un scorpion.
2. Le mille-pattes mord le doigt de l'homme riche.
3. Aïe.
4. L'homme riche a compris et a peur de se faire à nouveau mal.
5. Cette question est posée pour que les élèves puissent exprimer leur point de vue.

p. 15 - À toi de jouer

Voici l'ordre des phrases : b - a - d - f - e - g - c.

p. 16 - *Le maquillage des clowns*

p. 17 - Comprendre

L'Auguste

1. Sur l'Auguste, les endroits importants à maquiller sont : les yeux, le nez et la bouche.
2. En premier, il faut étaler du fond de teint clair sur le visage.
3. Il faut entourer les surfaces blanches et rouges d'un trait noir.

Le clown blanc

1. Pour maquiller Nino, il faut mettre en premier du fond de teint blanc.

2. On met du rouge sur les lèvres et l'on souligne un sourcil en noir.

p. 18 - *Le costume des clowns*

p. 18 - Comprendre

L'Auguste

1. Pour habiller Pipo, il faut choisir des vêtements amples, colorés, comiques, appartenant de préférence à des grandes personnes.
2. On peut ajouter des bretelles, un nœud papillon, un chapeau.

Le clown blanc

1. Pour habiller le clown blanc, on peut utiliser un vieux pyjama ou un jogging.
2. Pour le décorer, il suffit d'ajouter des motifs divers (étoiles, lunes, notes de musique) en papier argenté ou en papier de couleur.

p. 20 - *Zoé zappe*

p. 21 - Comprendre

1. « Zoé zappe » ; zapper, c'est changer de chaîne plusieurs fois de suite.
2. Zoé fait sa grimace numéro 4, sans doute parce que Josie lui a dit de ne pas regarder la télévision trop longtemps.
3. Un débat sur la folie.
4. « Le poids des mots ».
5. Zoé n'aime pas les dents du présentateur.

p. 23 - Comprendre

1. Un film policier.
2. Un documentaire.
3. Elle retrouve la deuxième émission qu'elle a vue.
4. Une télécommande.

p. 23 - À toi de jouer

1. Voici l'ordre des émissions regardées par Zoé : débat, film d'amour, jeu, policier, documentaire.

p. 24 - *La bande dessinée. Le Grand Panic Circus*

p. 25 - Comprendre

1. Le personnage principal est un illusionniste. Il fait des tours de « magie ».
2. Il s'appelle « Nivunikonu ».
3. Le personnage a le visage épanoui et applaudit très fort en criant : « bravo ! ».
4. On peut relever les bruits suivants : « pops », qui signale l'apparition des lapins et « clap, clap », qui imite les applaudissements.
5. Bouglionne lui propose un « contrat mirifique ».
6. Il s'agit de l'usine de conserves de lapins de Bouglionne.
7. La bulle contient un point d'interrogation et un point d'exclamation qui marquent la surprise du magicien. Il pensait être engagé pour participer à un spectacle.

p. 26 - *Des comptines et des rimes*

Les questions posées ne sont pas destinées à faire travailler les élèves d'une façon formelle et systématique ; elles ont pour objectif de rendre l'observation de la langue poétique un peu plus précise et surtout, elles préparent les activités d'écriture proposées dans la rubrique « À toi de jouer ». Il est donc souhaitable de consacrer l'essentiel du temps à la production de comptines et de poèmes.

p. 27 - Comprendre

« Si »

1. Girouettes - lunettes ; escargots - dos ; écrevisses - jaunisse, par exemple.
2. Si.
3. Les rimes des six premières strophes se suivent.
4. Dans les deux dernières strophes, elles sont croisées ou alternées.
5. Une seule.

p. 29 - Comprendre

« L'oiseau du Colorado »

1. Colorado, gâteaux, mandarines, nougatines, roudoudous et mou.
2. Colorado - gâteaux ; mandarines - nougatines ; roudoudous - mou.
3. Colorado - sirop ; autruche - cruche ; nuages - images, par exemple.
4. Il boit.

p. 28 - *« Tout luit, tout... »*

p. 29 - Comprendre

1. La rime est « ui » dans les mots fruit, bruit et cuit.
2. Luit, bleuit.
3. Le vers est composé de trois petites phrases. Elles ont toutes le même sujet (ou elles commencent toutes par le même mot), et les trois verbes riment entre eux.

p. 30 - *Le lapin*

p. 31 - Comprendre

1. Nino mange sans se priver car il fabrique sa nourriture et ne dépense plus d'argent.
2. Monsieur Loyal lui réclame un lapin.
3. Nino va fabriquer l'animal avec un journal.

4. Pipo énerve Nino parce qu'il lui parle sans arrêt.
5. C'est Nino le plus malin, il mène le jeu et s'exprime beaucoup mieux.

p. 33 - Comprendre

1. Nino met ses découpages en papier dans un mouchoir pour les transformer en lapin.
2. Nino demande à Pipo de mettre son paquet dans le chapeau pour faire un échange à l'intérieur.
3. Monsieur Loyal est très étonné, il félicite Nino.
4. Il s'agit d'un tour de magie (ou d'illusionnisme).
5. Pipo a tout fait rater car il va chercher le second paquet avec les découpages et fait découvrir le stratagème.

p. 34 - À toi de jouer

Jeux de scène

1. C'est Nino qui parle le plus.
2. C'est Monsieur Loyal qui parle le moins.
3. Quand on joue, on ne lit ni le nom des personnages ni les indications de scène. Les indications sont écrites dans une typographie différente et sont placées entre parenthèses.
4. Elles indiquent l'humeur des personnages, leurs gestes ou leurs déplacements.
5. Pour jouer cette scène comme elle est indiquée il faudrait une table, un chapeau, un journal, des ciseaux, deux mouchoirs, un lapin.
   Naturellement à l'école, on peut remplacer ces accessoires par ce que l'on a sous la main : le chapeau peut être un carton assez profond et le lapin sera... en peluche ! Il est tout de même important que les enfants puissent manipuler quelques accessoires (qui sont des appuis de jeu) lorsque la lecture sera acquise.

Expression orale, improvisation

Il est souhaitable, dès les premiers contacts avec ces entrées clownesques, de bien faire comprendre aux enfants la psychologie de ces deux clowns. Le clown blanc (Nino) est élégant, beau parleur, intelligent alors que l'Auguste (Pipo) n'est pas très malin ; il est maladroit, ne comprend jamais rien, entraîne toutes sortes de catastrophes et reçoit souvent des coups.
Dès les premières séances, on peut renvoyer les enfants aux fiches de maquillage et de déguisement (pp. 16 à 19). Un nez rouge, un chapeau, un grand pantalon aident à camper plus facilement le personnage.
Les entrées clownesques des cinq séquences ont été choisies pour les situations comiques que chacune d'elle propose. Ici, la situation est le tour de magie qui rate. Un personnage cherche à mystifier Monsieur Loyal (qui est un faire-valoir), l'autre gêne et fait tout rater.
Les enfants peuvent réaliser toutes sortes d'improvisations à partir de tours de magie qu'ils connaissent. Les enseignants qui ont peu de pratique dans ce domaine pourront trouver de multiples pistes et conseils pour la conduite de ces activités en lisant *Expression dramatique théâtre*, collection « Hatier enseignant » (1991).

p. 36-38 - *Lire... Vite... Bien...*

2. A (2, 6) - B (3, 6) - C (4, 5) - D (4) - E (3).
3. A (5) - B (2) - C (3) - D (3) - E (1).
5. A (4) - B (3) - C (3).
6. Doivent revenir en A : chenille, brindille, grille.
   Doivent revenir en B : ville, tranquille, tuile.
7. Doivent revenir en C : cousin, fraise, raison.
   Doivent revenir en D : coussin, réponse, cassette.
8. Doivent revenir en E : pigeon, orange, horloge.
   Doivent revenir en F : dragon, gomme, galette.

p. 39 - *Écrire... Bien... Mieux...*

2.

On entend le son [s]	*On entend le son [z]*	*On n'entend rien*
serviteur	disait	fois ; très ; mais ; très ; fois ; cents ; réals ; mais ; mois.

On peut aussi faire remarquer que le « s » du mot « très » se prononce (z) devant le mot « avare ». Même prononciation du « s » de « mais à la... ».

3. Était, très, engageait, promettait, cent, fallait, appelait, disait.
4. Immobile, inconnu, imbuvable, impossible, inutile, imperméable.

p. 40 Guillo, prends ton tambourin
p. 41 V'là l'bon vent
p. 41 Mon beau sapin

– Guillo, prends ton tambourin

(D'après les paroles de Bernard de La Monnaye).

– V'là l'bon vent

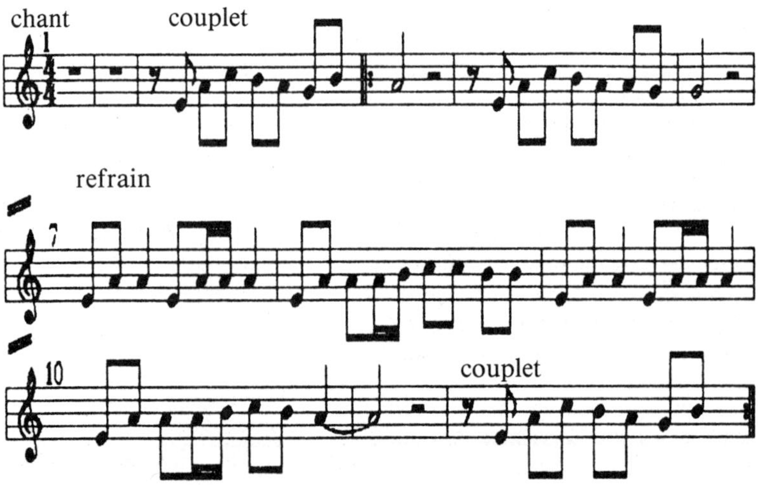

– Mon beau sapin

p. 42 - *Drôle d'oiseau*

p. 43 - Comprendre

1. Le petit garçon était assis tout en haut d'un grand arbre dans la forêt.
2. Il l'appelle Drôle d'oiseau : parce qu'il était perché dans l'arbre comme un oiseau ; un drôle d'oiseau, puisque ce n'est pas du tout un oiseau, mais un petit humain.
3. Petite Rose.
4. La cuisinière a décidé de faire cuire Drôle d'oiseau, le lendemain matin.
5. Elle promet de garder le secret, de ne le répéter à personne.

p. 45 - Comprendre

1. Petite Rose ne tient pas sa promesse : elle raconte tout à Drôle d'oiseau.
2. La vieille découvre au matin que les enfants se sont envolés.
3. Si tu ne m'abandonnes pas, je ne t'abandonne pas non plus !
4. Petite Rose s'est transformée en rose et Drôle d'oiseau en rosier.
5. La vieille ordonne à ses chiens d'arracher le rosier, de cueillir la rose et de la rapporter.

p. 46 - Comprendre

1. Drôle d'oiseau est devenu rocher et Petite Rose la mousse qui recouvre ce rocher.
2. Drôle d'oiseau s'est transformé en étang et Petite Rose est la petite cane qui nage sur cet étang.
3. En réalité, c'est une sorcière.
4. Elle se noie dans l'étang.

p. 47 - À toi de jouer

1. Voici l'ordre du résumé : a - c - e - d - b.
2. « La vieille envoie ses chiens les chercher. [...] Drôle d'oiseau se transforme en rosier et Petite Rose en rose. Et les chiens ne les trouvent (reconnaissent) pas. [...] Drôle d'oiseau se transforme en rocher et Petite Rose en mousse. Et les chiens [...].
La troisième [...]. Elle se penche et veut boire l'étang pour l'assécher, mais elle bascule (dans l'eau) et se noie.

p. 48 - *La journée d'un chien fatigué*

p. 49 - Comprendre

1. À midi, le chien doit accueillir les enfants, sauter, agiter la queue, lécher les visages.
2. Il prend son repas en une minute (record de rapidité).
3. L'après-midi, il rend visite à Rocky, va faire les poubelles, se bat avec ses copains et va faire un plongeon dans le ruisseau.
4. Il va voir Rocky entre 15 h et 16 h.
5. Le chien a déjà du mal à se lever (« penser à se lever », « se lever »), aussi, à peine est-il levé qu'il retourne dormir un peu. Le reste de la journée est entrecoupé de périodes de sommeil.

p. 50 - *Parfois je rêve !*

p. 51 - Comprendre

1. Il lui jette un sort.
2. Le manteau devient un animal vivant.
3. Elle sert à se rafraîchir l'été, quand il fait très chaud.
4. Sur une planète.
5. Jusqu'aux grandes vacances.

p. 53 - Comprendre

1. Il y a cinq paragraphes, et donc autant de rêves.
2. « Parfois, je rêve que... ».
3. Plutôt imaginer.
4. Un enfant.

p. 53 - À toi de jouer

Le nuage devient léger, est emporté par le vent, prend toutes les formes et toutes les tailles, flotte, fait pleuvoir, grêler, s'en va sur la mer, regarde le soleil qui se couche.

p. 54 - *La publicité*

p. 54 - Comprendre

Document 1

1. Cette publicité est faite pour la marque Gourmet.
2. Il s'agit d'un aliment pour chat.
3. Au menu, il aura une mousse douce et fondante (c'est indiqué par les slogans).
4. Le slogan : « La Mousse, le menu le plus fondant. Gourmet, le menu 3 étoiles ».
5. Le second slogan : « C'est curieux mais je réponds plus facilement au nom qu'elle m'a donné lorsqu'il y a une mousse douce et fondante au menu ».
6. « Je » et « m' » indiquent, par l'utilisation de la première personne, que c'est le chat qui parle.

Document 2

1. Il s'agit de la marque Friskies.
2. Il est passé par Friskies, il repassera par là.
3. La chanson est : *Il court, il court le furet...* Le mot « ici » a été remplacé par « Friskies ».
4. Les taches claires représentent la trace des pas du chat.
5. On les a dessinées pour bien montrer que le chat repasse toujours par Friskies.

p. 56-58 - *Des comptines et des rythmes*

p. 57 - Comprendre

« Pour qui, pour quoi »

1. Les quatre premiers vers ont trois syllabes ; les quatre suivants quatre syllabes ; le neuvième et le onzième vers, trois syllabes ; le dixième vers, deux syllabes.
2. Il y a six vers de trois syllabes ; quatre vers de quatre syllabes et un seul vers de deux syllabes.
3. Duvet et orvet ; toit et putois ; pardessus et tortue. Si on écoute bien, on entend (a) dans « moi » ; donc toutes les rimes du poème se suivent.
4. Les mots « un » et « pour » alternent dans les huits premiers vers.

p. 59 - Comprendre

« Le hibou et l'hirondelle »

1. Ce sont les tirets qui indiquent que c'est un dialogue et le verbe « dire » est répété deux fois. Il y a deux strophes : la première où le hibou parle, la seconde où l'hirondelle répond ; tous les deux disent « je ».
2. Le hibou est élégant et sérieux ; il veut qu'on l'admire, qu'on le trouve important. L'hirondelle ne se soucie que de faire ce qui lui plaît.

3. Tous les vers ont cinq syllabes, mais pour cela il ne faut pas prononcer les « e » muets (sauf pour le deuxième vers).

« Pas vu ça »

1. Tous les vers commencent par la même expression.
2. « Je n'ai... ».
3. « J'ai ».
4. Ni rimes, ni ponctuation ; c'est la disposition des vers et les répétitions qui donnent le rythme et indiquent où il faut s'arrêter.

p. 60 - *Les chapeaux écrasés*

p. 62 - Comprendre

1. Nino veut raconter une histoire à Pipo.
2. Il jette le chapeau par terre.
3. À la fin de son histoire, Nino saute sur le chapeau et le piétine.
4. Cette histoire est un prétexte qui lui permet de jouer un mauvais tour à Pipo.
5. Pipo se met à pleurer, il est très fâché.

p. 64 - Comprendre

1. À son tour Pipo veut « attraper » Monsieur Loyal.
2. Il ne sait pas raconter les histoires et se trompe sans arrêt.
3. Au bout d'un moment Monsieur Loyal comprend ce que Pipo veut faire et il change les chapeaux de place.
4. Monsieur Loyal s'amuse parce qu'il sait que son chapeau ne craint rien et que Pipo va piétiner le sien.
5. La chute de cette histoire était attendue. Pipo est pris à son propre piège.

p. 65 - À toi de jouer

Jeux de scène

1. On a besoin pour jouer cette « entrée clownesque » d'une chaise et de deux chapeaux qu'on peut remplacer par des bérets ou des bonnets, en veillant à ne pas les abîmer s'ils appartiennent à des enfants.
2. Ils servent de support à cette « blague » puisqu'ils sont piétinés.
3. Les clowns montent sur la chaise lorsqu'ils font le geste de cueillir une pomme.
4. Ils descendent lorsqu'ils racontent que le petit garçon, chassé par le garde-champêtre, saute de l'arbre.

Expression orale, improvisation

Il s'agit là d'une situation de blague, de farce clownesque. C'est le thème de l'arroseur arrosé : l'Auguste se fait toujours prendre à ses pièges par les autres qui sont plus malins que lui et le « voient venir ». On peut imaginer des situations similaires en adaptant des jeux-farces hérités du scoutisme ou en utilisant des accessoires de farces et attrapes (le plus connu des enfants étant le pistolet à eau).

p. 66 - *Lire... Vite... Bien...*

3. Voici les lettres de l'alphabet qui manquent : b, f, h, i, j, k, n, o, r, u, x, z.
4. Ne sont pas dans l'ordre alphabétique les groupes suivants qu'il fallait écrire : 1 (A B C D E), 3 (G H I K L), 5 (L M N O P), 6 (M N O P Q), 7 (O P Q R T).
5. **A :** balance, citron, histoire, limace, maçon.
   B : biberon, chat, goûter, papier, rocher.
   C : avion, cadeau, dîner, habitant, os.
   D : bruit, devinette, guitare, oiseau, salon.
   E : cartable, drapeau, jouet, livre, peigne.
6. Lettres qui permettent de composer le mot encadré : A (2) - B (2) - C (1, 3) - D (1).
7. Avec les lettres indiquées on peut faire : peur, rue, pose, ours, pour, rose.

p. 68 - *Écrire... Bien... Mieux...*

1. Abricot, cerise, clémentine, fraise, framboise, kiwi, orange, pêche, poire, pomme.
3. Le 16 correspond à la lettre « p ».
   La solution du message codé est :
   Connais-tu mon secret ?
4. Mousse, tour, page et vase peuvent changer de sens.
5. Le cou, des coups.
   Le pain, le pin.
   Un point, le poing.
7. Des boutons de fièvre, de manchette, de chemise...

p. 70 Pour le jour de l'An
p. 71 J'ai la fève
p. 71 Soir d'hiver

– Pour le jour de l'An

(Maurice Chevais, *Chansons de quatre saisons,* Éd. Alphonse Leduc).

– J'ai la fève

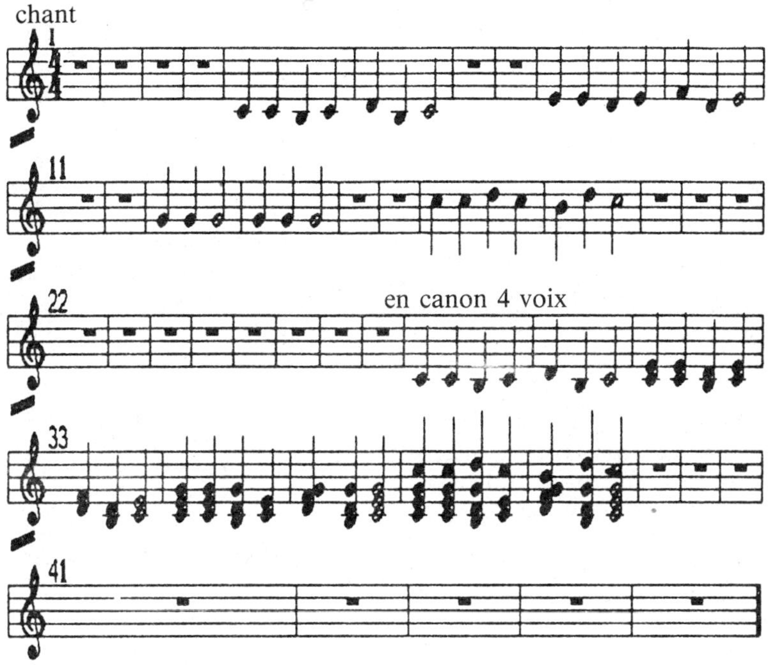

– Soir d'hiver

(Poésie de Pouchkine).

p. 72 - *Pierre et le loup*

p. 74 - Comprendre

1. Si on se limite au titre : Pierre et le loup. Les autres personnages — l'oiseau, le chat, le grand-père et le canard — sont moins importants.
2. L'histoire se passe dans de grands prés verts.
3. L'oiseau ne comprend pas que le canard soit un oiseau et qu'il ne vole pas ; le canard n'admet pas que l'oiseau ne sache pas nager. Chacun croit que lui seul est un « vrai oiseau ».
4. Le chat veut attraper l'oiseau pour le manger.
5. Il ne veut pas que Pierre sorte du jardin, parce que le loup pourrait arriver et manger Pierre.
6. Tous les animaux prennent peur, quand le loup sort de la forêt : le chat grimpe dans un arbre, le canard se précipite dans la mare.

p. 76 - Comprendre

1. Le loup aimerait bien dévorer aussi le chat et l'oiseau.
2. Pierre veut attraper le loup avec son lasso ; c'est l'oiseau qui doit l'attirer sous l'arbre où Pierre est installé.
3. Il veut conduire le loup au zoo.
4. Le canard est encore vivant dans le ventre du loup.
5. Il continue d'être inquiet, car il imagine ce qui serait arrivé si Pierre n'avait pas réussi à attraper le loup.

p. 77 - À toi de jouer

1. Pierre arrive d'abord, ainsi que l'oiseau, puis ce sont : le canard, le chat, le grand-père et enfin le loup.
   Voici le texte complété :
   « Pierre [...]. Arrive bientôt le canard [...]. Soudain le chat approche [...]. Le grand-père [...]. [...], que le loup sort [...].
2. Voici l'ordre des phrases : c ; b ; e ; f ; a ; d.

p. 78 - *Trucs et trucages - La pub à la télé*

p. 79 - Comprendre

1. À la place du lait on met du blanc d'Espagne.
2. La réponse se trouve dans l'article « Blanc de lait plus blanc ».
3. Le titre de l'article qui permet de savoir par quoi on remplace la crème d'un gâteau est « Crème de mousse ».
4. On frotte le chemin à parcourir avec de la sardine.
5. Il est interdit de montrer à la télévision un enfant en train de faire des choses dangereuses parce que des lois spéciales définissent ce qui est autorisé ou non. Sinon, cela pourrait inciter les enfants à faire des choses menaçant leur sécurité.

p. 80 - *Un maison bizarre*

p. 81 - Comprendre

1. C'est Hugo, un petit garçon, qui raconte cette histoire à Anne.
2. Le jour où les parents d'Hugo ont acheté une vieille maison.
3. Il y a des ronces dans l'escalier, des fleurs dans la baignoire, des nids d'hirondelles dans la cheminée ; le toit de la maison est percé.
4. Le toit est troué ; pourtant tout est propre ; la maison est inhabitée depuis des années, pourtant le papier peint semble neuf.
5. Ils pensent que la maison est peut-être hantée.

p. 83 - Comprendre

1. C'est dans la pièce qui a bizarrement l'air d'être toute neuve que les parents d'Hugo ont décidé d'installer sa chambre.
2. Hugo a peur que la chambre ne soit hantée.
3. Pour retarder l'heure de se coucher, Hugo fait un exercice de calcul, la vaisselle avec sa maman et même balaye le salon.
4. Tous ses jouets avaient changé de place.
5. Hugo veut rester dans cette chambre pour découvrir qui se sert de ses jouets.

p. 84 - *Les affiches*

p. 85 - Comprendre

Document 1

1. Il s'agit d'une exposition.
2. L'événement aura lieu à la Maison de la nature de Boulogne. Il durera un peu plus de cinq mois.
3. On a appelé cette exposition « Fleurs et contes ».
4. On voit une gigantesque fleur rouge au cœur de laquelle le Petit Poucet enlève ses bottes de sept lieues à l'ogre.
5. On voit donc l'illustration directe du titre. Une fleur est représentée, et le mot « contes » est suggéré par le Petit Poucet.

Document 2

1. On annonce la fête de la musique qui a lieu tous les ans le 21 juin.
2. Le personnage est accroché à cinq portées de musique.
3. Les portées suggèrent la musique. La joie du personnage montre bien qu'il s'agit d'une fête.
4. On peut écrire « fête ».
5. On passe alors d'une phrase impérative à un groupe nominal « fête de la musique », qui désigne l'événement.

p. 86 - *Des mots et des dessins*

p. 86 - Comprendre

1. Un rosier, un arbuste.
2. Avec des mots.
3. Ces mots évoquent les fleurs, les roses.

p. 87 - Comprendre

1. Avec des lettres, des mots, des phrases.
2. Ce sont les noms des doigts.

p. 88 - *La guitare en anglais*

p. 90 - Comprendre

1. Pipo va demander une guitare au régisseur.
2. Monsieur Loyal ne le regarde pas et ne lui répond pas non plus.
3. Pipo, la seconde fois, essaie d'être poli mais il bafouille et dit n'importe quoi.
4. Non, car il faut parler en anglais au régisseur pour se faire comprendre.
5. Ce qui est drôle, c'est qu'il dit : « Je voudrais une guitare en anglais » et non : « Je voudrais une guitare », en anglais.

p. 92 - Comprendre

1. Pipo s'adresse en anglais à Monsieur Loyal.
2. À la place de *please*, il prononce « police ».
3. Le régisseur se met en colère parce que Pipo lui parle impoliment et le menace.
4. Pipo a reçu un coup de pied au derrière et une gifle.
5. Nino, tout en ayant l'air de prendre parti pour lui et de le défendre, en profite pour lui administrer de nouveaux coups.

p. 93 - À toi de jouer

Jeux de scène

1. On n'a naturellement pas besoin de guitare, puisque Pipo n'arrive pas à l'obtenir de Monsieur Loyal.
2. Monsieur Loyal doit être visible des spectateurs, mais un peu à l'écart, car il est sensé ne pas entendre les dialogues entre Pipo et Nino. Le jeu utilise également les allées et venues de Pipo qui va de Nino à Monsieur Loyal.
3. C'est l'Auguste qui reçoit les coups des deux côtés.

Expression orale, improvisation

C'est une tradition au cirque, l'Auguste tombe, reçoit des coups qui sont donnés de façon burlesque, sans cruauté. On peut montrer cela aux enfants en veillant à ce qu'ils contrôlent leurs gestes ou ne donnent pas, à plaisir, de vraies claques à leurs camarades. Pour éviter ce « passage à l'acte », on peut placer les deux joueurs à distance. Ils ne peuvent se toucher, l'un fait mine de donner une claque, l'autre se frotte la joue en hurlant ou en pleurant.
On peut faire remarquer aux élèves le côté extrêmement enfantin de Pipo qui ne reçoit pas les coups en adulte mais en petit garçon.

p. 94 - *Lire... Vite... Bien...*

2. Voici les phrases à réaliser :
   a. Une petite fille se promène.
   b. Arthur est un garçon courageux.
   c. Papa me porte sur son dos.
   d. Le facteur nous donne une lettre.
   e. La chatte noire aux yeux verts guette les souris.
3. Voici les phrases identiques : 1 (b) - 2 (c).
4. Phrases à classer en deux groupes :
   - Prépare la pâte de la tarte. Place les fraises dans le fond. Mets au four vingt minutes.
   - Le chien a les pattes plus allongées que celles du chat. Il s'attache à son maître. Ses griffes sont usées parce qu'elles frottent sur le sol.
5. Phrases à placer dans l'ordre chronologique : c - a - e - d - b.
6. L'ordre des phrases est : e - b - d - a - c.

p. 96 - *Écrire... Bien... Mieux...*

4. Ce soir, Théo est de très mauvaise humeur. Sa maman a rangé tous ses jouets et il ne retrouve pas sa moto préférée. Et puis sa maman veut l'envoyer au lit ;
   Mais Théo a encore envie de jouer.
   Alors Théo est en colère... Oh ! là ! là ! Quelle colère !

4 MARS AVRIL

p. 98 Giboulée
p. 99 J'ai descendu dans mon jardin
p. 99 Chant de printemps

– Giboulée

(J. Riondet et P. G. Amiot, *Vents de chez nous,* Éd. du Scarabée).

– J'ai descendu dans mon jardin

– Chant de printemps

(D'après Luc d'Ariel).

p. 100 - *Nanasse et Gigantet*

p. 103 - Comprendre

1. Gigantet ; c'est un géant qui n'est pas plus grand qu'un homme.
2. Nanasse est une naine ; mais elle est aussi grande qu'une femme.
3. Les parents de Gigantet sont inquiets parce que leur fils ne grandit pas. Ceux de Nanasse sont inquiets parce que leur fille grandit trop.
4. Le docteur Gigantus dit qu'il faut forcer Gigantet à manger pour qu'il grandisse ; le docteur Nanus dit qu'il faut empêcher Nanasse de manger.
5. Les parents suivent les conseils de leur docteur : on oblige Gigantet à manger et on empêche Nanasse de manger.

p. 106 - Comprendre

1. Ils sont comme des enfants perdus, sans leurs parents.
2. S'ils n'étaient pas sur la même rive, ils ne pourraient pas se rencontrer et l'histoire serait terminée.
3. L'un est un géant, l'autre une naine.
4. En fait, ils sont tous les deux de la même taille.
5. Nanasse et Gigantet se rendent compte qu'ils sont tous les deux « très bien » et que ce sont leurs parents qui ont tort de les trouver « anormaux ».

p. 106 - Observe la disposition du texte

1. Les réponses peuvent être diverses : l'essentiel est que les élèves puissent les justifier.
2. À droite, c'est l'histoire de Nanasse qui est écrite.
3. Dans la colonne de gauche, c'est celle de Gigantet.
4. Beaucoup de phrases commencent par des tirets qui indiquent que les personnages se parlent ; ce sont des dialogues.
5. Page 102, les lignes 41-42-43-44 sont exactement les mêmes.

p. 107 - À toi de jouer

Retrouve la place de ce texte.

- Page 103, ligne 76, à la fin de cet extrait.
- Ce sont les points de suspension qui indiquent la coupe ; voici le texte original :
  « Les deux poteaux restèrent poteaux, ils leur était même impossible de redevenir géants ! »

p. 108 - *Les instruments à vent*

p. 111 - Comprendre

1. On appelle ces instruments des instruments à vent car on obtient les sons en soufflant de l'air dans des tuyaux ou dans des sacs. C'est le paragraphe sur la bouteille musicale qui en explique le mieux le principe.
2. Un son aigu est obtenu par un tuyau court (voir l'expérience de la bouteille, ou ce qui est dit sur la flûte de Pan).
3. Il s'agit de la flûte de Pan.
4. Certains tubes sont enroulés sur eux-mêmes pour tenir moins de place (voir le paragraphe sur les cuivres).
5. La cornemuse possède un sac qui sert à envoyer l'air dans des tubes de longueurs différentes.

p. 111 - À toi de jouer

▼

Un tuyau droit	*Plusieurs tuyaux droits*	*Un tuyau avec des petites languettes de bois*	*Un tube enroulé*	*Un sac qu'on remplit d'air*
la flûte	la flûte de Pan	la clarinette	la trompette, le tuba, le cor d'harmonie	la cornemuse

Bibliographie :
Les Sons et la Musique, « Ma première bibliothèque », Éd. Gamma, Tournai, 1971.
Les Instruments de musique, par Neil Ardley, Gallimard, 1989.

p. 112 - *Alain et Alex*

p. 114 - Comprendre

1. Alain et Alex ; ces prénoms commencent par les mêmes lettres.
2. Alain aime travailler, ranger, rester à l'intérieur de sa maison.
3. Alex est très différent : il n'aime pas rester à la maison, il aime jouer dehors, grimper, sauter dans les flaques.
4. Alain et « à l'intérieur » commencent par les mêmes syllabes orales ; Alex et « à l'extérieur » commencent par les mêmes syllabes. Ce sont donc des prénoms qui leur vont bien.
5. Les derniers mots de chaque ligne riment deux à deux.

p. 116 - Comprendre

1. Alex est étonné de voir une chambre si bien rangée, lui qui déteste l'ordre.
2. Des albums, des soldats de plomb, des timbres, des maquettes, un dictionnaire, des mots croisés, un herbier, des papillons, des livres et des cahiers...
3. Un livre qui raconte l'histoire du chameau qui boit du Pschitt.
4. Alain est étonné de voir autant de désordre, lui qui aime tant ranger.
5. Un arbre-escalier, un trou d'obus, une mare, une cabane, un garage à vélos, des tonneaux, trois chiens, des escargots, des lapins.
6. Un lapin.

p. 118 - *Les illustrations de textes*

p. 119 - Comprendre

Illustration 1

1. On retrouve Pierre, le loup, le chat et l'oiseau.
2. Pierre est grimpé sur une branche, son lasso sur le bras. Le chat, sur une autre branche, fait le dos rond. L'oiseau vole près de la gueule du loup qui cherche à l'attraper.
3. Voici le passage du conte illustré : « Pierre dit alors à l'oiseau [...] que le loup avait envie de l'attraper ! Mais l'oiseau était trop adroit et le loup s'énerva en vain » lignes 57 à 64.

Illustration 2

1. L'illustration suggère la nuit et l'hiver.
2. L'intérieur de la maison donne une impression de chaleur, de sécurité. Il contraste avec l'extérieur froid et menaçant. Les couleurs soulignent cette impression. De l'intérieur viennent des jaunes, des rouges, des orangés. Ils sont projetés sur un extérieur à dominante bleue, violette, soulignée par quelques tons verts.

p. 120 - *Jouer avec les mots*

p. 121 - Comprendre

« Le ragondin »

1. On trouve le verbe « racontait ».
2. Tous les « c » ont été transformés en « g » ; les contes, écoutaient, captivées, cassant la croûte.

« Le o et la dactylo »

1. Elle a tapé la lettre « c » à la place du o.
2. Elle a écrit le mot « ciseaux ».

p. 122 - *La clarinette*

p. 124 - Comprendre

1. Monsieur Loyal est ennuyé parce que le clarinettiste Piposki n'est pas encore arrivé pour le spectacle.
2. Nino lui propose de le remplacer.
3. Pipo est accueilli fraîchement par Monsieur Loyal qui lui dit de repartir.
4. Nino a déclaré qu'il savait jouer pour recevoir le cachet et partager ensuite avec son camarade.
5. Nino suggère à Pipo de se cacher dans une caisse où il jouera, à sa place, au signal convenu.

p. 127 - Comprendre

1. Monsieur Loyal est étonné d'entendre des sons alors que personne ne joue.
2. Nino doit jouer *À la claire fontaine*.
3. Les deux clowns ne s'accordent pas du tout. Pipo ne comprend pas les signaux transmis.
4. Monsieur Loyal aperçoit la tête de Pipo qui sort de la caisse.
5. La dernière réponse ne justifie en rien la présence de Pipo dans la caisse. Elle est comique parce que gratuite et caractéristique du burlesque des clowns.

p. 127 - À toi de jouer

Jeux de scène

1. Piposki conserve son allure d'Auguste, son nez rouge, mais quelques éléments vestimentaires doivent indiquer qu'il est le célèbre Piposki. Un énorme nœud papillon peut faire l'affaire.
2. Lorsque Monsieur Loyal revient, Pipo doit être caché dans une caisse.
3. C'est Nino qui suit ce que joue Pipo puisque ce dernier, caché dans la caisse, ne peut le voir.

Expression orale, improvisation

Comme dans la situation de la première séquence, Pipo fait échouer un stratagème. Leur mise en scène a des ratés parce que Pipo est incapable de faire ce qui est convenu.
On peut imaginer toutes sortes de connivences, de mises en scène. Par exemple : Nino essaie de faire passer Pipo pour un docteur, un savant, un avocat, auprès de Monsieur Loyal qui finit naturellement par se rendre compte de la supercherie.

p. 128 - *Lire... Vite... Bien...*

2. Voir les mots qui complètent les phrases : a (oreiller) - b (princesse) - c (nuages) - d (salle) - e (met).
3. Les mots à placer aux bons endroits sont les suivants : (a) : coup, (b) : près, (c) : cavalier, (d) : aperçoit.
4. *Idem :* (a) : hier, (b) : midi, (c) : cuire, (d) : table, (e) : dans, (f) : humeur.
5. La chasse aux intrus :
Fête remplace tête, sœur remplace peur, gâteau remplace bateau, bougies remplace toupies et poupée remplace allée.

p. 130 - *Écrire... Bien... Mieux...*

1. Voici les mots à retrouver : j'ai rêvé, j'allais, ne t'inquiète pas, tes, se.
2. « Ne vous inquiétez pas, regardez, vos habits de rentrée sont là. Les petits hiboux se frottent les yeux. Ils ont rêvé. »

p. 132 Avril près de finir...
p. 133 Reviens, beau mois de mai
p. 133 Le soleil s'est levé

– Avril près de finir

– Reviens, beau mois de mai

– Le soleil s'est levé

(Pierre Grossetête, *Vacances,* Éd. du Scarabée)

p. 134 - *Le chat si extraordinaire*

p. 137 - Comprendre

1. Le mandarin pense sans doute qu'il n'y a rien de plus beau que le ciel.
2. Comme il veut que son chat ait le nom le plus beau, le plus puissant, et qu'un ami lui dit que les nuages sont plus puissants que le ciel, le mandarin décide d'appeler son chat : « nuage ».
3. Vent ; Mur ; Souris.
4. Le mandarin finit par penser que « Souris » est le plus puissant nom qui soit, alors que les souris sont en réalité bien plus faibles que les chats.
5. Il veut trouver un nom parfait, pour qu'il n'y ait rien de mieux que son chat.

p. 137 - À toi de jouer

1. Ces mots sont tous placés en tête de paragraphe ;
   « Il était une fois... », ligne 1 ;
   « Or, un jour... », ligne 4 ;
   « À quelque temps de là... », ligne 11 ;
   « Dès lors... », ligne 17 ;
   « Une semaine... », ligne 19 ;
   « Un peu plus tard... », ligne 27 ;
   « Alors... », ligne 43 ;
   « Désormais... », ligne 48.

p. 138 - *Un programme de télévision : Les soirées d'un coup d'œil*

p. 139 - Comprendre

1. On pouvait regarder des variétés le samedi 22 décembre sur TF1. Il s'agissait de « Succès fous ».
2. Le dimanche, trois films étaient présentés. Les deux qui avaient la préférence des journalistes du magazine étaient : *Stand by me* et *Les Dix Commandements*.
3. Le téléfilm qui commençait le plus tôt, le lundi soir, était : *Le Père Noël existe, les anges aussi,* sur M6.
4. Le mardi soir le programme qui se terminait le plus tard était « Les Vikings », sur A2 (22 h 45).
5. C'est M6 qui, en quatre jours, a présenté le plus de téléfilms.

p. 140 - *L'inquiétante salle d'attente*

p. 141 - Comprendre

1. C'est un enfant qui raconte cette histoire. Il s'appelle Eric.
2. Il doit aller chez le dentiste. Il pense qu'on va lui faire très mal, c'est-à-dire le torturer.
3. Ils sont là parcequ'ils sont malades : nez bouché, torticolis,...
4. Éric, sois poli, s'il te plaît ! »
5. Ce que voit Éric tend à faire croire que le médecin a vraiment une tête d'éléphant ; par contre, personne d'autre n'a l'air d'être étonné, même pas sa mère ; on peut donc hésiter.

p. 144 - Comprendre

1. Il a un long cou de girafe ; et quand on a un torticolis on a justement mal au cou.
2. Il y a un rapport entre la maladie soignée et l'aspect du médecin ; et ce qui caractérise la chouette, ce sont justement ses gros yeux, tout ronds.
3. Un dentiste soigne les dents, et le crocodile se caractérise par ses grandes dents, si dangereuses.
4. Éric a si peur qu'il s'évanouit.
5. Il n'a pas souffert ; mais il est encore si ému qu'il dit « crocodile » au lieu de « dentiste ».

p. 146 - *Quand le texte complète l'image*

p. 147 - Comprendre

1. Le tableau représente « un café, le soir, vu de l'extérieur ». On voit quelques personnes assises à la terrasse, un serveur prend les dernières commandes. Dans la rue circulent quelques passants attardés.
2. Un lampadaire, au milieu de la partie gauche, éclaire le tableau.
3. Le ciel est « étoilé et bleuté ».
4. On retrouve les couleurs primaires chères à Van Gogh : rouge, bleu et jaune. Le peintre, dans son texte, indique précisément comment il a utilisé les couleurs : du jaune sur la partie supérieure de la terrasse, des tons orangés sur le sol, du bleu dans le ciel, sur la moitié supérieure du tableau et dans

l'encadrement d'une boutique, en premier plan gauche, une place « jaune soufre pâle et vert citron », enfin au fond à droite « un arbre vert ».

5. Pour évoquer la nuit, Pierre Gamara utilise les couleurs suivantes : caramel, violet, or, orange.

Bibliographie :
Histoire de la peinture, Hatier, 1989.
Vincent Van Gogh, de Ingo F. Walther, Éd. Benedikt Taschen, Cologne.

p. 148 - *Des mots pour décrire autrement*

p. 149 - Comprendre

« Dit la mer »

1. Presque tous les vers de ce poème ont deux syllabes.
2. Parce qu'ils sont « eau », comme elle, mais plus petits.

« Le ruisseau coule »

1. Les verbes suprenants sont : il sait, il connaît ; le verbe « couler » est habituellement utilisé pour parler de l'eau.

p. 150 - *La soupe aux pois*

p. 153 - Comprendre

1. Nino s'impatiente parce que Pipo est en retard.
2. Pipo place trois couverts parce qu'il a invité Monsieur Loyal à déjeuner.
3. Nino ne peut préparer de ragoût de mouton parce que les boucheries sont fermées ce jour-là et qu'il est impossible de trouver de la viande.
4. Les clowns décident de faire semblant de renverser le ragoût puis de servir une soupe aux pois.
5. Nino est nerveux parce que Pipo se trompe sans arrêt et que Monsieur Loyal ne va pas tarder à arriver.

p. 155 - Comprendre

1. Pipo lui dit bonjour en l'appelant « Monsieur Ragoût de mouton ».
2. Le régisseur pense qu'il va se régaler et ça le met de bonne humeur.
3. Pipo enlève les fourchettes et les couteaux puisqu'il sait qu'il n'y a que de la soupe au menu. Il a déjà oublié ce qui est convenu.
4. On entend un bruit infernal dans la cuisine.
5. Pipo a renversé la soupe aux pois, il n'y aura donc rien à manger.

p. 155 - À toi de jouer

Jeux de scène

1. Pour jouer cette scène, il faut une table, trois chaises et des couverts pour montrer qu'un déjeuner est prêt.
2. On peut situer la cuisine derrière une porte (dans un couloir, par exemple) ; en principe on ne voit pas ce que fait Pipo mais, comme au théâtre toutes les conventions sont permises, la cuisine peut être à vue, à quelques mètres du jeu.
   Pipo doit remuer des casseroles et faire semblant de laisser tomber le ragoût.

Expression orale, improvisation

Comme dans la séquence précédente on s'attend à ce que la mise en scène échoue par la faute de Pipo et à ce que Monsieur Loyal découvre la supercherie. Mais cette fois-ci il y a un coup de théâtre qui surprend le spectateur, on ne s'attend pas à ce que ce soit la soupe qui aille par terre.
Le « coup de théâtre » est un élément important de la situation théâtrale. Dans le burlesque ou le clownesque, la catastrophe devient un élément moteur du comique. Ce qui est proposé en expression est un jeu d'observation, de mime, où les deux clowns font des gestes identiques en face à face.
La situation reprend la situation initiale de « la soupe aux pois » : il y a un problème qu'il faut cacher à Monsieur Loyal. Le coup de théâtre est à imaginer ; Monsieur Loyal peut annoncer, par exemple, que ce miroir n'est pas à son goût et qu'il veut s'en débarrasser, ou qu'il s'agit du miroir magique ayant appartenu à Blanche Neige, qu'un sort sera jeté à toute personne qui viendrait à le casser.

p. 156 - *Lire... Vite... Bien...*

2. Une façon originale de lire et d'écrire.

a. La fleur veut atteindre le soleil.

b. Elle allonge sa tige, traverse les nuages et perd la tête.

c. Il fallait lire : Une fleur voulait atteindre le soleil. Elle allongea sa tige et traversa les nuages. J'irai dans le soleil se répétait la fleur jusqu'au jour où le vent lui fit perdre la tête.

3. Il fallait écrire :

Le cahier
comme il entrouvrait son cahier
il vit la lune
s'emparer de son porte-plume.
De crainte de la déranger,
il n'osa pas même allumer.

4. Voici la solution des devinettes :
A (escargot), B (arbre), C (photo).

Les 7 clés

POUR LIRE
ET
POUR ECRIRE

AU

CE1

UN MANUEL
+ UNE CASSETTE

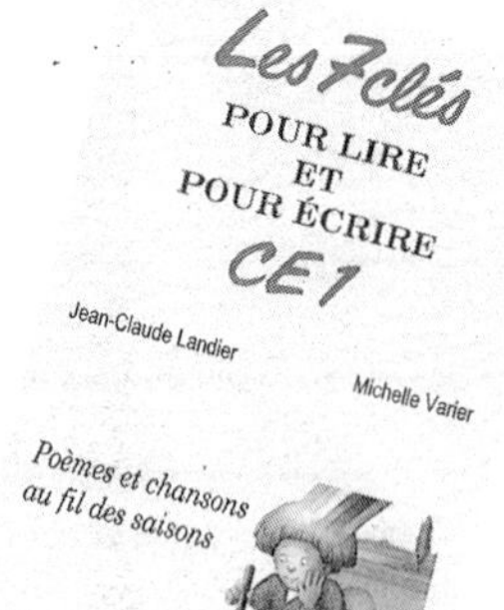

Imprimé en France par l'Imprimerie Hérissey - 27000 Évreux
Dépôt légal : 8747 - Janvier 1992 - N° d'impression : 56808